劉福春・李怡 主編

民國文學珍稀文獻集成

第一輯
新詩舊集影印叢編　第34冊

【《春雲》卷】

春雲

天津：新教育書社 1923 年 7 月 1 日版

綠波社社員　著

花木蘭文化出版社

國家圖書館出版品預行編目資料

春雲／綠波社社員 著 -- 初版 -- 新北市：花木蘭文化出版社，
2016〔民105〕

222 面：19×26 公分

（民國文學珍稀文獻集成・第一輯・新詩舊集影印叢編 第34冊）

ISBN：978-986-404-622-5（套書精裝）

831.8 　　　　　　　　　　　　　　　　　105002931

ISBN-978-986-404-622-5

9 789864 046225

民國文學珍稀文獻集成・第一輯・新詩舊集影印叢編（1-50 冊）

第 34 冊

春雲

著　　　者　綠波社社員
主　　　編　劉福春、李怡
企　　　劃　首都師範大學中國詩歌研究中心
　　　　　　北京師範大學民國歷史文化與文學研究中心
　　　　　　（臺灣）政治大學民國歷史文化與文學研究中心
總 編 輯　杜潔祥
副總編輯　楊嘉樂
編　　　輯　許郁翎
出　　　版　花木蘭文化出版社
社　　　長　高小娟
聯絡地址　235 新北市中和區中安街七二號十三樓
　　　　　　電話：02-2923-1455／傳眞：02-2923-1452
網　　　址　http://www.huamulan.tw 信箱 hml 810518@gmail.com
印　　　刷　普羅文化出版廣告事業
初　　　版　2016 年 4 月
定　　　價　第一輯 1-50 冊（精裝）新台幣 120,000 元

春雲

綠波社社員　著

新教育書社（天津）一九二三年七月一日出版。原書三十二開。

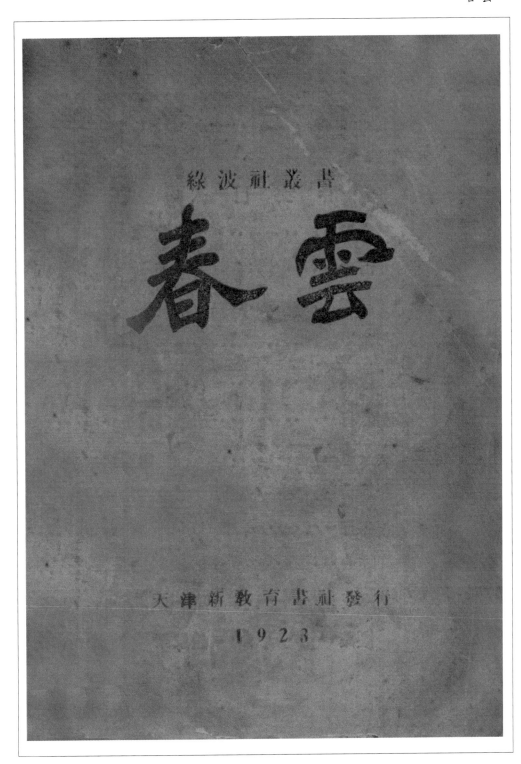

綠波社叢書

春雲

天津新教育書社發行

1923

春雲目次

春風……………………于賡虞

海珠……………………王亞蘅

銀霧……………………王瑞麟

雨夕……………………朱旭光

微笑……………………吉卯左

北行……………………胡傾白

安慰……………………陳奕濤

雛菊……………………黃振武

心聲……………………陳勵準

蝶心……………………焦菊隱

海花……………………葉　碧

櫻葉……………………趙景深

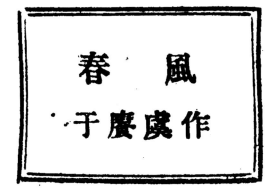

春風

于慶虞作

═目　次═

巽鄉	夢境
倘使	心海之堤
漂泊	我怕
痴視	稞體女郎
夜幕	春風
若有	短遊
夢	漁夫與泥工
無題	歸思
印象	跋詩

異　鄉

月兒皎皎；

海水滄滄。

碧綠的波浪，

冲着一塊塊木頭般的海鷗，

往不可知的處所去。

海鷗呵！

我雖羨慕你的靜恬生活，

九女山旁的人兒，

却陣陣波動我的心絃了。

月兒皎皎，

海水滄滄。

憶起水天接處的故鄉，

幽秘的林中，

一次聽了一羣羣疲乏的小鳥的蜜

　　語；

一次遇了異鄉的大姊，

2　　春　　風

拿一朵窈窕的玫瑰，
赤足，披髮，身穿紅紗單衣，
笑靨盈盈的經我身旁，
我便回轉船艙，
做起憶想的戀夢了。

月兒皎皎，
海水滄滄。
客外無名的悲傷，
到了桃花盛開，
秋葉颼颼之時，
不禁慨然說道：
『盈情之月，
翻翻海浪，
給了我同樣的感傷。
異鄉的美花盛況，
何如故鄉的布衣素裳？』

春　　　風　　　3

月兒皎皎，
　海水滄滄。
別母親時的眼淚一眶，
　背地裏再也擦不乾了！
呵呵，原來母親的淚，
　早已包滲在行裝裏了！
心裏的母親，
　月裏的母親呵！
我將安然到岸了，
　雖仍漂泊於茫漠的海上。

倘　使

淚魔住在我的眼裏。
不然，何以聽着窗外淅瀝的雨聲
　，
深夜的孤雁的嗚咽，
便會悄悄落淚呢？

悲魔住在我的筆裏。
不然，何以提起彼，
悲悽的句子就湧洶洶的來了呢？
呵，呵！
殘花落時，
夜幕張時，
彼便有無上威權！
　　幾次
我想抛却了筆，
我想棄掉了心，
但彼又深深的躲在心裏。
　　幾次
將我的心托在皎潔幽靜的月光裏
　　，
受些愛意薰染，
但彼又沁入我的細胞裏。
　　呵，微弱的人類！
呵，無能的人類！

春　　　風

我能夠有——

只於能有片葉一舟，

漂蕩於毫無邊垠的汪洋上，

便什麼也不想了。

倘使我能夠有呵！

　呵，微弱的人類！

呵，無能的人類！

我能夠上——

只於能上崑崙之巔，

我就是徐玉諾的歌者，

便什麼也不想了。

倘使我能夠上呵！

　　　『彼』字均指淚魔和悲魔。

　　徐玉諾的『歌者』，刊於雪朝

　第四輯，可以說是首憤世，

　醒世的悲壯之歌。

漂　泊

孤獨的漂泊着，
很興奮的奔往墓的世界。
心愛之花，
凄然萎謝了！
為了伊雖犧牲無量的淚，
終究澆不活了！
生命——生命——
輕烟似的浮雲啊！
從悲離歡合中，
寫出絕對的意義了。

孤獨的漂泊着，
很興奮的奔往墓的世界。
啊，人生——
狂濤巨浪中的一葉小舟！
用着偉大的魄力，
精密的堅柁，

努力向前沖着。

曲曲折折的航線上，

滿伏着艱險危機；

沈淪，毀滅的

片片的葉舟瀚！

呵，沈淪了！

呵，毀滅了！

廻環旋轉的波紋，

　刹那間穩息了！

痴　視

笨重的心兒呵！

想思——

想思苦酸的羅網，

永遠，永遠密密的糧繞着。

二哥哪裏去了？

表兄哪裏去了？

你們知不知苦酸坑中的弟弟，
還正在人間的牢籠呢！

回憶前：
同息同遊，
同燈念書；
活潑潑地迷藏，
清亮亮的歌唱，
是何等的境況，心腸？
如今呢？
惟有腦海裏強烈的印象——死，
孤苦伶仃而懷愴的我了！

奇怪而傷心呵！
你們竟忍心舍棄我——
永遠的舍棄了！
我已覺冰冷的心，
只有徘徊曠野，

痴視着荒草掩蓋而可愛的墳墓；
但終於孤獨的徘徊，
無心的痴視呵！

　　我的表兄國俊，二哥廣勛和我
從小在一塊兒長起來；而他倆於
前二年之內，相繼死去，我的伴
侶呵，只有荒草掩蓋的墳墓了！

夜　　幕

窗外梧桐樹葉颼颼作響，
遠近犬兒汪汪狂吠，
憶起那夜燈前別語，
那人兒便沉於於我晶瑩的淚珠了。

我們同睡於廣漠的夜幕裏，
月兒一樣，

星兒一樣，
但夢會時總是含淚無語呵！

若　有

我若有一把想像的巨扇，
雖赤着身，
　貢着病，要將
宇宙間的惡魔病鬼，
扇入汪洋之底。

我若有一把想像的寶刀，
雖冒犯人間的成見，
責我以殘酷，要將
宇宙間的野心橫暴家，
殺個血肉不分！

夢

在朦朧的夢幻裏，

忽然讀起憶鄉的：（註）

　『渴望許久的家信來了！

　「或戮或擄……

　……死殘生離！」

九女山旁的故鄉呵！

愴涼，破荒！

只有一堆堆的墳墓了！

只有一堆堆的灰燼了！

寒夜的清夢，

絡是留戀着故鄉呵！

庭前梧桐樹上破爛的雀巢，

怎地不見了呢？』

也曾淒然淚下呵！

　　註：我的憶鄉八首刊在新民意報文學

　　　附刊，這是其中之一。

12　　春　　風

無　題

一片潔白的紙，
塗着橫豎不規則的墨跡，
塗到無可再塗時，
自已便悄悄的落些眼淚。

一株美麗的樹，
經過幾千年的風沙霜雨，
雖只枯幹殘留，
却很孤傲的暗示給世人了。

一葉孤舟，
漂泊於渺茫汪洋，
躊躇的舟子，
只有四顧徬徨，
去路呵‥‥‥‥

印　　　象

潔淨淨的雪兒，

無辜的被那人踐踏蹂躪了！

但伊終於靜悄悄的忍耐着。

弱者——被踐踏者喲！

謝謝你給我個深刻的印象——

笨重慘暴的遺痕呀！

夢　　　境

幽靜的夢境裏，

懸着殘缺暗淡的月亮，

下着霏霏的淡霧。

莊稼顆裏不平的壞塊上，

比天鵝絨般的床還覺舒服。

哥哥，弟弟，⋯⋯躲在那裏，

很耐煩的不做聲。

41　　　春　　　風

遠遠吠聲傳來，
心便寒戰警惕了！

『哥哥，鷄叫了，
回家安息吧！』

心 海 之 堤

一陣海浪狂濤，
冲破了心海之堤。
籬牆內的人兒，
雖不唱悲憤情曲；
皎盈盈的月光，
却映出伊的苦喪的瀟朧。

心愛呵，我雖
感不到你的心酸悲傷，
聽不到你的憤懷怨語；

但我的心，
　我的情，
却微波似的蕩漾！

靜寂的月夜裏的
松林籬旁的人兒呵！
你的噓唏感傷，
沁入我腦海深處了。
呵，我沈默默的倚伴籬旁，
那人兒呢？
只有松林稍上的孤清月亮，
只有松林稍上的孤清月亮。

我　怕
（一）

我怕——
我怕看潺潺小溪的微波，

16　　　秦　　　風

不停的滾下去了。
呵，游泳的小魚！
也曾憶起乾涸的蒼海嗎？

（二）

我怕——
我怕聽軍號報捷之曲，
鮮淋淋的血河中，
沒有我心愛的小魚呵！

（三）

我怕——
我怕夢見青山裏故鄉中，
沒有認識的牧童了。
但晚間托托……嘩啦的槍聲裏，
雄糾糾的壯兒，
誰說不是從前的牧童呢？

（四）

懦弱的我呵！
更怕深夜裏，

嘹晌的風聲送句！

『兒啦！何時歸來！』

裸 體 女 郎

—— 環五以裸體女像贈我，

賦此答謝！——

疏疏林端的沙灘上，

掩仰平臥的裸體女郎呵！

艷姣的微笑，

棉絮的酥胸，

更有黑影裏一切的一切呵！

美麗呀！

可愛的女郎！

你脫去了綾羅衣裳，

你偷徉於尼羅河旁，

你悄悄的躺下了，

呵，怕羞辱嗎？
何恨於世人眼光！

美麗呀！
可愛的女郎！
我不贊那黛綠艷裝，
我不歌那粉紅面龐；
我只歌讚着
疏疏林端的沙灘上，
掩仰平臥的裸體女郎！

春　　風
（一）

從習習的春風裏，吹來
鮮艷艷的芳香，
燃燒起我戀念故鄉之淚了。
（二）

將枯槁的蒼松，

雖依然戴着綠帽，

但總拂不掉滿臉暮氣。

朋友！

你能告訴我

你的青春的經過嗎？

（三）

『不想家，

　大丈夫志在四方。』

雖然這樣堅決的說着，

但心兒却怦怦然了。

（四）

猙獰的面龐，

架起茶色鏡子，

更覺猙獰了。

我錯了！

我錯了！

彼的心終有片刻的甜蜜呵！

20　　　春　　　風

（五）

抽不盡的詩絲之海，

寫不完的人生之苦，

戀人般的愛着。

伴笑的人們，

寫出沈痛的詩意了。

（六）

廊下孤獨的徘徊，

只感到周圍重重的死氣。

死——誰能逃脫？

我却不願索然無味的死呵！

（七）

縱然黑黝黝的峭壁間，

開着盈盈的鮮鮮的芳香的花卉，

被誰賞識呢？

但彼依舊是盈盈的鮮鮮的開着呵！

（八）

默默無語，

却含着無量的話意。
我站在山之巔，
浪之頂，
聽着默而自然的訓意。

（九）

皎皎的月兒來了，
詩人孤寂含淚似的吟着。
習習的春風，
吹醉了青年之夢。

（十）

是青年的悲哀？
是悲哀的青年？
滾滾黃河，
碧綠長江，
洗不掉你的滿腔悲傷！
與其憂憤以傷，
何若嚎啕而死？
與其殘喘偷生，

何如跳海而亡？

蓬蓬的烏雲，
正賴你隻手掃蕩！
黝黝的人間，
全賴你心光蕩漾！
呵，青年！
呵，青年！
何不挽此沉淪之狂瀾！
縱被鯨吞虎噬，
也算心甘！
呵，青年！

短　　　　遊

（一）

跳下葉舟，
休息河畔，

默祝著流水，

過我家門時，

不要起任何漩渦，

給倚門待歸的人兒看呵！

（二）

幽暗柳叢中破敗的小廟，

三五泥人，

默默坐着，

寂寞嗎？

外邊兩個還拿着雄雄的寶刀呢。

（三）

青青山旁，

繫着我寂寞的心腸，

不遠的道兒，

却像渡過無垠的汪洋。

（四）

牧童兒拿着長杆細鞭，

赶着一羣山羊，

24　　春　　　　鳳

一溜烟的唱着過去了。

（五）

沒有嘗過的山昧呵！
只有嘯噓，
只有輪廓中的墨點，
哪有故鄉呢？

（六）

酷烈的陽光呵！
大衫袖上的濕痕，
終拂不去愛人疑心我，
爲伊而傷心喲！

（七）

秀潤的紅而白的花喲！
我愛你，
所以把你摘起。
你愛我嗎？
當我未贈與愛人以前，
不要枯萎呵。

（八）

跳在山澗透底的流水裏，

魚兒來和我的腳接吻了。

溪旁樹上的鳴蟬呵！

臨風而歌，

你固浸潤於大自然了，

但我已覺水兒蘊藉着冷氣了。

（九）

從山谷樹林裏透出

疏疏的人家，

門口搭着青鬆的籐栅下，

並肩坐着一對老年戀人的

隱隱約約的語句呵！

恕我只聽到你們青年時代的秘密啊！

（十）

是哪裏來的羣雁，

毫無戀意的飛去了。

呵，薄暮蒼蒼的天色中，

已無在耕的農夫了。
舟子呵！
你忘却回家了嗎？

魚夫與泥工

青青的柳林，
籠罩於濃淡的晨霧裏，
蕩漾漾的微笑着。
　柳林間池塘的岸旁，
有一中年漁夫，
色黑而壯，穿着
深洞皮襪，藍灰色的破襖，
背後帶着竹籃，
一網一網悄悄的打着。
　柳林端的鐵軌上
污濫衣服的泥工
汗珠瑩瑩的不住的滴下，

一車一車的推着，
去填那很久深下的泥坑。

　　我的漁夫，
我的泥工呵！
茅屋雖小，
儘可坦然而臥了；
饃兒雖醜，
儘可安然而食了。

　　我的泥工，
我的漁夫呵！
青青的柳林，
籠於濃淡的霧裏的
蕩漾漾的微笑，和
林間脆盈盈的鳥歌，
也足以給你們無限的自然安慰了！

歸　　思

28　　　春　　　風

馥郁翠綠的陽春到了。
我聽着異鄉淙淙流水，
我看着異鄉廓漠青原，
歡躍，動盪的嫩姣山峯，
馴良，工餘的牧場耕牛，
歡唱，歸家的學童，
我的戰悠悠的心
被邈遠雲霧中的故鄉引去了。
那裏有我慈愛的父母呵！
那裏有我生命道上的伴侶呵！
那裏有蕩漾起伏的苗海，
那裏有茹辛飲苦的農夫，和
更豔姣的青山，
更嫵媚的河流呵！

馥郁翠綠的陽春到了。
童年赤身塗足沐浴於和藹陽光的
盈盈美味，暢達心腸呵！

兄弟姊妹皎皎月夜的迷藏，

田禾中的徜徉遊蕩，

於今呵！只有

腦岸邊的枯木一株，

腦岸上的殘石一片了。

負笈異鄉，足証童年已逝！

彷徨岸旁，足証天真盡喪！

穆靜輝煌的落日呵！

我豈是微紅一朵？

騰蕩遼闊的春意呵！

我豈是淡綠一葉？

侵噬流湧不盡的山河呵！

循環輾轉不息的日月呵！

在在都引起我歸意的淒涼；

我的刺繡未成的鮮花，

我的纏綿欲奔的夢幻，

終究冤枉了冲瀉的歸意了！

30　　　　春　　　　風

馥郁翠綠的陽春到了。
我星夜徜徉於背依柳林的河旁，
緩流河中的月光，皎皎，
拂面而來的微風，清清，
看見我伴侶的故痕，
頓使我淒涼，厭恨！
異鄉的弟弟呵！
這裏我們沒有針線補衣，
倘若媽媽知道，
要寄來些順手美麗的針線，
何用唏噓惋惜呢？
異鄉的弟弟呵！
倘若我是園丁，一定要撤去圍牆上
一切無用的鐵釘，
永遠拉不破你的衣裳，
也永遠引不起我的歸思呵！

春 鳳 31

跋 詩

萎謝了的心花，

雖然是傾盆的大雨，

卻又那能潤得活呢？

只有——

只有詩人的微笑，

是我心花的甘雨喲！

      ——鈔慶虞哥詩集既

竣，感而書此——

二三，三，一八；天心。

    ——天心弟說我是詩人，真不敢當，真覺

慚愧！且天心弟肯替我把零星碎編，整理起來

編成此卷，謝謝！——

二三，三，一八，慶虞自記。

上 海 時 事 新 報

言論犀利公正，新聞豐富敏捷；並有
『學燈』（日刊），『文學旬刊』，『合作
週刊』，『現代婦女』等刊，等還有
價值的附張

報費　時事新報每月大洋一元　半年
五元　全年九元半　附張不另取費

學燈　文學旬刊　合訂單行本　每月
一冊　每冊三角

文學旬刊　可以另行訂閱　每年六角
郵費在內　但國外郵費在外

館址　上海望平街

一目　次一

序詩　　　　　　　如此

殘灰　　　　　　　蜂之心

熱淚　　　　　　　與超人

弱者　　　　　　　一生

遊三貝子花園　　　赴萬國音樂大會

偶然　　　　　　　一頁空白的日記

叮嚀　　　　　　　馬塲道上

決定運命之俄頃　　題蕾

不睡之晨

序　詩

海底有明珠，
　天空有衆星，
惟有我心裏，
　我心只愛情。
天海一何闊，
　我心亦廣漠，
愛情　華光
　星珠皆掩色。

註：一此詩係德國詩人海湼氏原作，按
朗弗落譯文重譯。

殘　灰

一

這僅於是一堆燒剩的殘灰罷了。

二

父母是兒女的絆脚石，常常站在愛情的

路上。

三

『你又和我姐姐接吻了！我要告訴爹爹去，你若不買糖送給我。』
小弟弟的心中祇有糖果呵！

四

天空的星兒和月亮都在監視着我們哩。
怕羞麼？躲到紫藤花下罷！

五

愛河泛濫的時侯，他那顧前面有甚堅堤；祇想變做滔滔的熱血，流到伊的心裏。

六

雖是一瞬間的愛戀亦要帶到棺材裏去。
你何苦又担負這筆重債呢？

七

不想見偏在一起；想見伊時却到咫尺天涯了。

八

睡魔原來這般胆小；當伊在我心頭時，他便再也不敢輕來攪擾。

九

蘆荻深處的水鳥，被漸近的槳聲驚起了。

十

堪憐的弱柳，你爲何恁般不能自主，任東風播弄呢？

十一

割不斷的情絲把自己層層的纏住，只得做一隻僵蠶罷。

十二

我雖未嘗着過失戀糕乾是什麼味道；但是淡淡一杯離酒已經使我深深的醉了。

十三

群說『以眼還眼，以牙還牙。』無情的車兒載了我的愛人去，我拿什麼來還他

？

十四

清冷的夜裏，窗外的雨聲時斷時續；窗內的我祗和一盞孤燈廝守着。

十五

惱人的惡雨，怎地這般不解人意！世上情人的幽會，將一齊爲你沖散了。

十六

跳出紅塵世界，終老廣寒宮裏，這雖說是我的素志；奈何嫦娥不許！

十七

朋友呵！我們要分離麼？且對着這青山綠水再進一杯；索性使我們沉醉。

十八

別離時都有滿腔心事；但是，祗有相對的默着，不知從何處說起。

十九

朦朦的山光靚着艷紅色的丁霞，蜻蜓的

海　珠　5

二十

念强死了；我的夏天的秘密，亦
就隨着他的遺骸，一同葬在巴黎
郊外的墓中了。

一九二二，六，二十，北京。

熱　淚

我本不願哭泣，
我曾設誓不再哭泣；
不過當伊因我而悲傷的時候，
伊的眼睛哭紅了的時候，
百合花都不忍再看，
趕緊把牠瓣兒合上的時候，
我的兩行熱淚止不住的流了。

弱　者

你有綠蒂般情，
我無維特的勇氣。
鎗兒在手，
彈兒裝妥，
但是弱者終是弱者，
只沒有這一搩的魄力。

游三貝子花園

一

「松風蘿月」名兒到還雅緻，
但是實地呢？——
亦不過幾棵枯樹，一座荒亭罷了
　　　　。

二

荷花池畔，
靜悄悄的持着釣竿，
等得臂兒酸了，

海　　　　珠　　　　7

才盼來了一尾小魚；
急忙挑起竿兒——
萬不料仍是被伊逃去。

三

水邊垂釣果然是雅事麼？
——爲了小小的魚兒
作了素不願作的奴隸，
確是一件儍事呢！

四

鋪滿水面的浮萍，
被那採菱的船兒冲碎；
船兒雖不見了，
溪裏却深深的留下伊經過的遺跡
。

五

桃兒長得眞肥呵！
只隔了一層很短的剪松，
便嘗不到伊的滋味；

8　　　海　　　　珠

只好遠遠的飽餐秀色罷。

六

有數的幾個遊客，

轉來轉去總要碰見幾次。

最容易認識的便是那穿黃馬褂的

　　老頭兒，和那一雙喁喁情話的

　　青年了。

七

翁翁的飛機

打破了幽風堂前的沉寂，

看呵，綠蔭透處飛着一隻灰色的

　　蜻蜓，

給「自然」加增了多少美麗呀！

八

草叢裏無人拾取的幾片楓葉，

收在我的囊中了，

聊作我們一度把晤的紀念罷。

　　　　　　一九二二，八，二五，北京。

海　珠　9

偶　然

是那裏來的甘雨，

使這已萎的花兒復活？

是那裏來的春意，

使這冰冷的心兒溫暖？

是那裏來的這五月的歌聲，

使這久寂的心兒怦動？

已死之灰了，

說得起什麼復燃！

枯如槁木了，

那裏能再重生？

沾泥之絮

還能隨東風飛起麼？

不知那美妙的眼波

確含有無上的威懼；

婉轉的聲浪

絕勝於天使的音樂。
死灰復燃了！
枯木重生了！
泥絮飛舞了！
宇宙中一切的希望呵，
我將不咀咒你了。

叮嚀

秋風起了，
雁兒從我心中飛去，
胆怯的我只是在征忡。
雁兒呦，小心着你的使命啊！
無論是失望或慰安，
無論是歡喜或哀痛，
千萬早些將消息帶來，
免得我一顆小心兒隨着你飄零。
雁兒呦，不要說

這是件無關重要的事！

要知道上帝的威權

現已挾在你的兩翼中、

雁兒嚙！我確知道你是信鳥，

從未躭誤過旁人的事情。

但是今日我却爲何怎殺不相信
　　你呢？

雁兒喲，願你千萬別負了我的叮
　　嚀。

我捧着心兒候你了，

雁兒喲，早些帶來春消息啊！

決定運命之俄頃

停止了心臟的跳躍，

壓住了緊促的呼吸，

靜數着壁鐘的擺聲——

滴搭，滴搭；滴搭，

時間如此一秒，兩秒地走去，

運命之神也這樣一秒，兩秒地走

　　進。

待決之囚呵，

肺將炸裂了，

心將破碎了，

那裏有什麼——

雖是「冬」之消息呵！

不睡之晨

凄涼的殘夜裏，

窗紙兒剛剛微明，

少年約翰獨清醒；

悠然而思，

悄然而泣，

終於伏枕而放聲了。

海　　　珠　　　13

如　此

如此，伊尚可得萬一原諒的！
但是假如伊見而不理，
甚或一笑置之呢？——
上帝鑒憐！我的心兒爲之跌碎了
　　！

蜂　之　心

蜂之心碎了，
花兒沒有半點憐惜的神情，
只是在一旁微笑，
『笑那死而不悟的蜂兒妄想着攀
　　高，
如今果然跌碎了。
蜂兒都是無情，

14　　　　海　　　　珠

應該得這樣的報應。
若使蜂兒得了意，
花兒將被捐棄在凋零。』

奄奄一息的蜂兒之心一躍一躍地
似乎要表示一些不甘心的符號，
　『花姊呀，可憐你的誤會呵！
世上固有無情蜂；
焉能個個都如此呢？
我不恨——但恨不能將這粉碎的
　　心兒，
化作一滴一滴的露珠，
亮晶晶地好使你看個明瞭！』

蜂之心碎了，
花兒沒有半點憐惜的神情，
只是在一旁微笑。

與　超　人

楊柳爲甚麼常低頭覷着水面？

蜂蝶爲甚麼要戀戀花間？

超人呵，你能告訴我麼？

春雨簷聲爲甚麼常激起我們心絃

　　的共鳴？

秋月涼光爲甚麼常照澈我們鬱鬱

　　的幽情？

超人呵，你能告訴我麼？

一般楊柳，一般蜂蝶，

爲甚麼獨有超人反不感覺？

同樣春雨，同樣秋月，

爲甚麼孤寂的人兒就覺得異樣的

　　親切？

聰慧的超人呵，請你告訴了我罷

　　！

請你喲，請以你的超思來爲我的

靈魂而解脫喲！

一　生

他無意識地飛到牡丹前，

跪而哀求道：

『花王呵，我的生活太單調了！

茫茫前路，何處方是歸途？

你為萬花之王

寧忍讓我獨自躊躇。

花王呵，你來伴我過此一生罷！』

牡丹很驕傲地答道：

『咄，你豈不知我身為花王，

焉能同你去走。

你試去問玫瑰姐姐，

伊或者允許你的要求。』

他只得又飛到玫瑰花前，

苦苦的哀求：

『玫瑰姐姐，可憐見我

是--個天涯落魄。

茫茫前路，何處方是歸途？

你爲花中艷者，

寧忍讓我獨自躊躇！

玫瑰姐姐，你來伴我過此一生罷
　　！』

玫瑰氣紅了臉說道：

『什麼話？決不！決不！

你可知道現在羣芳正在爭艷，

焉能隨你墮入泥塗。

你要鄭重些飛過，

否則我的刺兒定不饒恕。』

沒奈何又飛到芙蓉之前，

18　　　　海　　　　珠

再跪而懇求：

『蓉妹呀！

你的美麗冠於羣芳；

你的銳眼可能看透我的衷腸？

可憐我這流浪已久的漂泊者呀！

你來伴我過此一生罷！』

芙蓉悽然答道：

『可憐的呀！

為何你不早來，

致使時機失去。

沾泥之絮

怎好再逐東風呢？

去罷，去飛向那梅花樹下，

作你最後的要求罷！』

他漸漸由失望而卽於頹唐了。

不得已又鼓─鼓勇氣飛向梅花：

『梅姊呀！
花王不肯與我同行；
玫瑰姐姐生恐有損伊的芳姿；
蓉妹雖然憐我生活的孤寂，
但恨時機又無端失去。
現在呀，祇有你
祇有你是我最後的伴侶，
你若憐我獨自行那茫茫前路，
干求你不要再使我失意。
梅姊呀，你來伴我過此一生罷！』

梅花羞的垂下了伊的頭，
或者芳心裏已經默許了他的要求呢。

芳春過了，
花兒牛都凋謝了，
花王也沒有人再稱伊為『花之王』，
玫瑰也再不能爭艷羣芳，

祗有梅花樹下，
一隻將死的蜂兒還在作最後的歡
　唱。

赴南開大學萬國音樂大會

一

沉沈的厚幕裏面，
　藏着無限藝術的神秘，
驟使人感到一種靜穆的尊嚴，
　一切囂音至此都歸靜寂。

釵光鬢影之中，
　往還着熟於酬酢的人們，
粉紅淡綠的 Reception Committees
　似穿梭般的時現時隱。

二

紫幕高懸，

露出了藝術之宮。
一位襟插鮮花的紳士，
　　帶着副虛僞的面孔在唱 Solo 了。

大和之歌，
　　驚起我心絃久醉的微波；
彷彿因於戀慕那超古的精神，
　　而欲將東海飛越。

三

白銀裝成的十字架後，
　　身披雪紗的一隊 Chorus 喲！
兩縷漆髮自然地飄在胸前，
　　銀星之冠有萬道霞光放射。

遠遠地看來只見八顆明星，
　　閃耀於主的墓旁。
當着聽到妙曼的歌聲，
　　才曉得是安琪兒下降。

22　　　海　　　珠

四

勇敢進取的德意志喲！
　　溫柔流利的法蘭西喲！
清秀古雅的大中華喲！
　　慷慨雄壯的俄羅斯喲！

代表民族精神的藝術——
　　陶冶心靈枯燥的音樂喲！
我讚美你，我讚美你，
　　能將各人的情感用音波來赤祼
　　　　祼地描寫。

（註　詩中第三首是寫『聖誕節』
歌劇中的八個歌女。

一頁空白的日記

翻閱，翻閱，翻閱着一九二一的

日記。
痛心呵，一九二二轉瞬也不再了，
一九二三又要在我生命中起始。
重回首，祇有唏噓！

　　　　　曾幾何時，
燦爛的碧桃已經兩度開花，
綠青青的楊柳也曾搖風兩次。
如今又將開花時，
舊遊的伴侶何處？

杜廢那好意的溫風，
鮮紅的朝日，
空將早春帶來，
寄與愁人嗟息。

看哪，日記中一頁空白，

驟然現在眼底。
回憶，回憶，怕要回憶不起——

哦，這日，這日！
這日正是早春天氣，
碧綠的小草兒才鑽出他的頭，
殘冬裏的枯楊剛剛有些青意。

瘦長如帶的河堤上，
我們慢步在斜陽影裏。
有多少說不出的快活！
有多少說不出的親密！

但是當我們談到未來的運命，
我忽然說：『怕我們終耍分離呵！
愈想愈覺悲傷，
終不免相對着一番哭泣。

我留神看見樹上歇着的小鳥兒，
也似覺得悲慘，而不忍飛去。
我遂決意留下那日的一頁空白，
不忍把當時的情景詳記！

如今呵！
楊柳依舊青青，
嗟嘆故人不至！
徒留下一頁空白，
使我終身這樣的回憶！

馬 場 道 上

拿了一册犧牲集（註一），
　一邊走着一邊讀，
夕陽未落的薄暮裏，
　馬塲道上儘伊唔。

26　　　海　　　　　珠

剩了半邊臉的紅太陽，
　　只是望着大地微笑；
晚風陣陣送來夜之芳香；
　　歸巢的鳥兒也在紛紛亂噪。

是那裏來的這碧眼的老婆，
　　和那似曾相識的麗者？
祇顧俯首細細尋思，
　　誰料竟乃輕輕錯過！

我一步一步地走回家，
　　心裏不知想了些什麼。
新晴不久的濕泥上，
　　却將我們的足跡很清楚地留下。
　　　　　　註一：犧牲集係印度谷兒著的戲
　　　　　　　　劇之一。
一九二三，三，二七，南郊。

海　　　珠　　27

題　蕾

一

世界上的青年，

人間的驕傲，

完全被你們佔盡了。

二

悠悠無際的青天，

浩浩無邊的愛海，

祗有你們相愛的一對兒在那裏。

任意兒飛翔，

盡量兒遨遊；

忘却了人間一切的杞憂。

三

空中飛着的失羣孤雁，

水中棲着的無偶遊魚，

停着，息着，

都在欽羨你倆的佳遇。

28　　　海　　　珠

四

充滿愛之精靈的化蕾，

得到春風的吹拂，

便不可抑止地怒放了——

放出來梅之清香，

荷之芬芳，

開出來榴火的紅光，

牡丹的模樣。

照澈大地上的人類，

使他們曉得什麼是愛之勝利，

不要再整日地醉生夢死，

不去理會人生的眞趣。

五

愉快呀，愉快！

甜蜜呀，甜蜜！

臉和臉兒貼着，

肩和肩兒靠着，

燈下談心，

花間笑語，

到處跟隨着你們的 Cupid.

暗將你們的小心兒用了一枝箭穿起。

六

羨慕呀，羨慕！

遐思呀，遐思！

世界上的青春，

人間的驕傲，

都　齊爲你們佔了去。

　　附註：——「蕾」是徐姚兩君結婚的攝影，共有十三幅。花前月下，纏綿之致。惜我文筆醜陋，不能描寫其萬一耳。

　　一九二三，四，二，亞衡識。

晨報副刊合訂本

晨報副刊每月一次，按日隨北京晨報
發行，不另收價：每月裝訂成本，定
價每本大洋叄角，外埠函購，請示通
信地址，并封寄郵票；本國二十五分
・歐美三十五分，本社即當將書寄上
。外埠代派，不折不扣，零售時准其
酌加郵票，北京宣武門外丞相胡同晨
報社總發行。

銀霧

王瑞麟作

目　次

神化　　　　　　柏葉

浮雲　　　　　　黃昏

草兒　　　　　　一棵

人生的象徵　　　迷濛

蓮花池畔　　　　微笑

步聲　　　　　　睡

神　　往

遠遠一片無端的水，
靜靜的好像受什麼符咒的拘禁！
吾坐在岸頭上，
不覺的神往。

夕陽照着遠帆，
影兒曲曲的動，
這幅美的景境，
使我忘却世上一切的悲傷！

游　　雲

一片片的游雲呵，
你們窺透了世事人情的游雲啊！

草　　兒

萌芽的草兒，
輕輕的在野舞蹈。
歡送那作被的冬妹妹，
從此離別了！

萌芽的草兒，
輕輕的在野舞蹈。
歡送那作游伴的春弟弟，
從此復見了！

人 生 的 象 徵

海裏，
一起一落的波浪；
天上，
勿明勿滅的繁星，
都是人生的象徵喲！

蓮花池畔

小池岸上的柳叢蔭，

何嘗不是吾的寢室；

垂柳蔭下的弱花細草，

何嘗不是吾的枕褥；

池內蓮花的奇香，

時時由風媒送到我的鼻孔裏，

又何嘗不能使我戀戀依依呢。

步　　聲

伊那輕妙的脚步，

從我窗前一步步的走過。

我的心絃隨着振動了！

柏　　葉

平靜的海面上，
只有不息的波紋；
一片柏葉順流蕩漾，
却不知他飄流到那裏。

黃　　　昏

嬌媚的夕陽，
照着海岸前的遠帆。
海上翻飛的沙鳥，
唧唧吱吱的鬧個不休。
微風吹着岸坡的花兒，
鞠躬又點首。
隨波紋飄來自由的我，
在此流連忘返了！

一　　　棵

銀　　　霧　　　　5

一株佝僂的老松，
孤立荒崖石之下。
偶然起了微風，
耳邊聽得他的哭聲，
偶然下了細雨
眼裏看着他的滴淚；
但，前面碧綠的小松，
無論在甚麼時候，
依然互相鞠躬游戲呵！

迷　　濛

蒼茫隱約的遠巒，
起了模糊不定的遊雲，
一切所有的更覺得迷濛了！

微　　笑

6　　　　　銀　　　霧

我——
脚蹈落葉；
頭頂晚霞，
身倚梧桐；
微笑對着薔薇花。

睡

幽靜的海邊的潺潺的水聲，
和那哀婉的海鷗的叫聲，
使我陶醉而遊於夢。
醒時，
已經是夕陽照着，
紅，黃，白　藍色的浪化兒了。

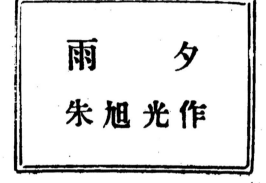

目　次

小狗　　　　了解

小詩　　　　笑

雨中　　　　赤條條的我

人生　　　　秋草

螞蚱　　　　苦笑

失信　　　　雨

怎地

小　狗

一個可憐的小狗子——
他離了他的母親；
才來到我的家裏。

餓了無有乳吃，
再也不得睡在他母親的懷裏；
困了只好睡在火爐的旁邊，
餓了只好吃上兩口又乾又冷的東西。

咳！這是人類的罪惡，
造成這個可憐的小狗子！
　　　　　　——二二，二，二四。

小　詩

一

滿腔已經沸了的血淚，

2　　　雨　　　夕

洒向暴徒的心窩吧！

　　　——二二，五，二七。

二

種種的罪惡，
冲滿了宇宙；
滴滴的血淚，
洒向哪裏呢？

三

心花枯了，
淚泉乾了，
曾經中過一點用嗎？
早知如此，
淚泉再有水時，
不要向人間流了，
洒向自已的心花裏吧！

雨　　　夕　　　3

四

詩人呵！
不要再寫人間的煩悶和悲哀了；
只寫人間的愛吧！

五

自己的心，
自己研碎了；
自己的淚，
自己流乾了；
千萬不要抱怨別人呵！

　　　　　——二二，六，一二。

雨　　　中

坐在河岸上的柳下，
聽着浙瀝的雨聲，
看着雨中的景緻，
讀着心愛的詩集，

我便歡喜的「不可名狀」了！

——二二，六，三十。

人　　生

一片微小的火光，

不久的便滅了；

人生又何嘗不如斯呢？

——二二，七，一六。

螞　　蚱

我步行在青草地裏，

捉住了一個活潑潑的螞蚱；

我因為他也是一條性命，

便輕輕地把他放了；

但是不久的工夫，

落下一個鳥來，

却把他踏着吃了！

小　詩

六

為世界上墮落的靈魂而悲哀啊！

——二二，八，五。

七

淅瀝的夜雨——

引起了遊子的鄉思，

觸動了詩人的情緒。

八

窗外的雨聲，

徹夜不息；

窗內的我，

又何嘗不是徹夜不眠呢？

九

從陰森的天氣裏——

得見一片青天，
和一線日光，
人們更不禁地歡呼而狂躍了！

十

新雨後，
田裏的草木在跳舞，
河中的魚兒在遊戲，
樹上的小鳥在唱歌，
又何嘗僅只農人歡喜呢？

十一

奮鬥之花，
用努力之泉的水灌漑着，
結成了幸福之果，
長在樂園裏。

十二

柳妹妹也含了羞嗎？
怎地又低了首呢？

十三

離　　夕　　7

當我疲於工作的時候，
我却得一種無名的安慰了。

十四

朝夢回時，
一天的生活，
便又從此開幕了。

十五

天牛的浮雲喲！
請留下一片，
與遊子寄意吧！

十六

籠裏的小鳥的歌聲，
是弱者的哀鳴嗎？

十七

那一抹慘淡的斜陽，
怎地還在屋角上留戀着不去呢？

十八

朋友，親愛的，

你那
利協的調子，
自然的音節，
便足以使我陶醉了！

十九

小妹妹的不合拍的歌聲呵，
怎地更好聽呢？

二十

在不願意寫的時候的詩意，
何嘗不一任彼飛去；
但已經着了迹了，
却又不願意任彼磨滅了。

失　信

「當我和我的戀人約定相會的時候
我却再也無有赴約的勇氣了；
這也得算我的失信嗎？」

友人 M 君這樣的說。

怎　　地

金黃色的燈光，

慘白色的面龐，

都是一般心事，

怎地反相對無語？

　　　　　　——二二，八，二五。

了　　解

我從工人的眼中，

了解了工廠主的勢力。

我從窮人的眼中，

了解了資本家的盛福。

從我愛人的眼中，

了解了愛情的價值。

於是

我便從沈默的觀察裏，

了解了人生的一切，

一切的人生了。

　　　　　——二二，八，二六。

笑

我看見宇宙上的一切，

便自然而然的笑了！

赤條條的我

赤條條的我，

也只是赤條條的我吧！

雨　　　　　夕 · ：11

我有——
鮮紅的心顆，
純潔的靈魂，
精圓的淚珠，
更有無量的沸騰了的熱血。

我雖然有這些，
不過仍是個赤條條的我吧！
我於赤條條的我以外，
更有些什麼？
　　　　　　——二二，九，二十。

秋　　　　草

秋風起了，
小草兒冷得顫抖，
不禁便嗚嗚咽咽地哭了；

12　　雨　　夕

哭得乏了，

也只有倒在地下呻吟吧！

終於顫聲而憤懣地說：

『抵抗不住了，

也只有走吧；

不要緊，

好在明年是仍要來的！』

　　彼死了，

秋風吹得更冷了，

也只有

蟋蟀唧唧地叫着，

樹葉沙沙地響着，

好似為彼唱起了彼們的哀歌來，

表示彼們與彼的同情！

　　　　　——二二，九二一。

小　　詩

二十一

朋友，眞摯的

從我和你相交的第一天，

　　我便深深他感到你的眞摯了！

二十二

簡單而散亂的心絃，

彈出來的，

也只有灰澀而悲哀的調子吧！

二十三

不可思議的故鄉裏！

我和你別了若干年了，

於今思想起來，

依舊有些依戀呵！

二十四

愛河之水，

已經溫暖了人們的冰冷的心泉了！

二十五

洋洋的海，

14　　　　雨　　　　夕

已經潤澤了詩人的心了。
可憐我這無見過海的人呵！
　　　　二十六
不可憫遏的兒時約！
於今
想起來，
依舊贏得　個含淚的微笑呵！
　　　　二十七
不要爲了環境的壓迫才懺悔嘍！
　　　　二十八
咀咒吧，
讚美吧；
咀咒這黑暗的已往，
讚美這光明的將來。
　　　　二十九
家中小院裏的
籐蘿花下，
幼時遊玩的故跡，

尚可認得幾處呢？

三十

在黑暗之海中，

飄颻一線燈光；

——雖然只是一線呵，

也可以直接着光明之晨了！

三十一

黑暗是光明的源泉，

奮鬥是幸福的種子。

三十二

對於寫不出的詩意，

是怎麼的悵惘和留戀喲！

及至想到——

『寫不出的，

才是眞詩，』

心裏便又覺得坦然了。

三十三

了解人生的第一步，

便須了解了「愛」啊！

感到人生的冷酷和虛偽的人們，

請先尋到你們所應得的溫暖而眞

　　實的愛吧！

　　　　　　三十四

LOVER 的足音呵！

聽見時，

心弦便有些顫動了！

　　　　　　三十五

夢境的眞味，

在回憶的細嚼中。

苦　笑

　伊的慘白色的臉上的苦笑，

或者更甚於伊哭時的悲哀了！

　　　　——二二，八，二六。

雨

雨嗬！

假如你不能洗淨了宇宙間的污濁。

就可以請天氣變得再冷些，

你就可以變成了潔白的雪，

很輕鬆的舖到各處，

如此

凡經你所舖過的地方，

便可以藉着你的遮掩，

暫時的潔白了！

　　　　　　—— 二二，一一，一五。

民國日報覺悟每日一張，按日隨
民國日報附送。每月裝訂成冊，

民國日報覺悟彙刊

定價三角。

上海山東路民國日報館發行

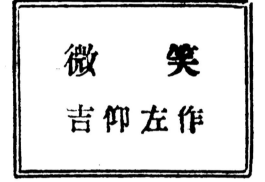

目　次

微笑

愛之神

苦澀的果兒

又是

這日

秋聲

冬夜

輓歌

新年

雪花

失戀人

印象

月夕

雪的天使

愛神

祖父

孤寂之夜

心絃

他

如此

小松

微　笑

這充滿了溫柔與愛的，
含嗔的微微地一笑的，
春雨般的浸潤了枯乾的心苗，
情詩般的牢刻在腦的內層。

愛　之　神

愛之神也太會湊趣了啊，
當人們受創而感覺痛苦的時候，
竟率然不顧的去了。

苦澀的果兒

苦澀的果兒，
已嘗了一些，
未來的生命啊，
又將如何？

又是

又是一樣的美麗：
看那皎皎的月兒，
穿過晶瑩的淚珠。

這日

這日
我傾江覆海的寫出，
但却再沒抄錄的勇氣；
在庭前焚燒的時候，
也只有這樣祝禱着罷：
「紙灰兒，飛到伊的脚下去啊。」

秋瑩

蕭瑟而凄楚的秋聲喲，
與心位合拍蕭的瑟而凄楚的秋聲
　喲。

冬　　夜

在這般靜寂的冬夜，
再聽不得父親的嗽聲，
於是我覺到我是如何一個孤兒了。

輓　　歌
——祖父的四年忌——

雪花依然那樣紛披，風兒依然那
樣撲擊；但可愛的祖父啊，已死
過四年之久。因爲你的慈愛，眞
不能使我忘懷，讓我將我的輓歌
唱起：

曾有個頑皮的孩子，
舞着他綿花般的雙手；
在你身前，搖動你的兩膝！
你的髭鬚鄒布在他烏黑的頭頂，
摯懇而哀求的朡你，
願你和他游戲。
你半閉你神明的眼珠，
張着你赤紅的雙脣，
輕輕的拍擊他的額款，
緩唱着無音節的催眠歌曲，
哦，這時怎樣和煦，如春水似的
　　和煦嚇。

曾有個健壯的老人，
抛擲他的身體，
在繁茂的草的叢裏，
和地母永久永久的接吻；
默然，再不和人們言語，

再不講他所經歷的故事，
再不唱那催眠的歌曲，
只有
雪花那樣的紛披，
風兒那樣的撲擊，
哦，是怎樣悽慘而莊嚴的喲！

新年

遙望着沙漠般的平原上踱來的上
　帝的使命，
誰能辨出猙獰與慈祥的呢。

雪花

依然潔素的雪花，
爲了同類的損害而悲哭，
一列列的淚珠浸濕了地球母親冰

（　　　微　　　笑

也似的心顆。

失　戀　人

在失戀人的痴立，

在失戀人的淚痕，

感到青年是如何的悲哀翰。

在失戀人的詩句，

在失戀人的長嘆，

感到愛是如何的悲哀喲。

印　　象

盛裝的村姑

偏遮伊的身體，

半罩那朽腐的大門，

手兒握着小口，

暗笑癡狂的孩羣。

微　　　　笑　　7

月　夕

我是月姊姊的愛弟呀，

也斜着伊的嬌眼，

護送我的歸途：

當着冷風吹來

還彷彿安慰道：

「寶寶冷不？」

雪　的　天　使

雪的天使從樂園裏跳下，

緊緊的吻在戀人的衣上；

於終——

却又羞答答的跑了。

愛　神

那蓬鬆的軟髮，

蓬鬆的，一摺一摺的佈在狹小的
　　肩上，

最小最小的金弓與箭

緊握在人鵝絨般的手裏。

鼓動起白色長衫羽的雙翼，

翩翩的翔在尊嚴世界。

扯滿伊的弓弦，

放好伊的小箭，

睜視着伊的目的，

徐的一聲射去。

但在他們被創的時候，

殷紅血珠噴出從心之房裏，

他們感知：

這是愛的痛苦，

伊早已飛到別處。

那蓬鬆的軟髮，

微　　　笑　　9

蓬鬆鬆的，一摺一摺的佈在狹小的
　　肩上，
最小最小金弓與箭，
緊握在天鵝絨般的手裏，
鼓動起潔素長衫裏的雙翼，
翩翩飛在尊嚴的世界。

祖　　　父

這是我唯一深刻的印象；
他佇立在門側，
黑白交間的鬍鬚飄拂在他的肩上，
凝視着囂嚷着一旅　旅的孩子。
時而頓展額上的折皺——
表示出心中的安慰，
當他親愛親愛的孫兒歸來。

孤寂之夜

在撫著枯萎了的花球，
冥想著以前的舊跡，
強強的撫慰缺損了的心；
一分一秒地捱過了
孤寂之夜。

心　絃

心絃樸樸，無音節的彈著，
在神之面前哀哀的祈禱：
曾有無限慚怍，
迴想起作踐伊的那日，
但這不過風沙的最小最小的一點，
落到，沾污到雪的天使般的潔白！
伊是雪的天使般的潔白曬。

假若我的淚珠是這般潔素，

能洗去這風沙的最小最小的一點；
假若我的淚珠是這般沸沸，
能浸化這風沙的最小最小的一點，
我應該怎樣豪爽的，無條件的傾
　　盡了他們！

他

他匆匆的跑來，
他笑吟吟的述說：
「和春之女王接吻了，
和春之女王跳舞於愛之宮了，
和春之女王宴息於樂園了。」
從眉之波，
　　眼之角
示現出為虛榮的驕傲喲！
從腦之海，
　　心之片

72　　　微　　　笑

印出的這充分的慰安藥！

如　　　此

那曾寄過情書的紙屑兒，

一片片的都化成灰燼了，

不過如此的世間情愛喲。

小　　　松

小松故作莊重，

永不接近情人；

但當微風一疊一疊的吹來，

却也一疊一疊的吻那瘦小黃菊了。

行

北

胡傾白作

目　次

罪惡的花園　　　　灰色的人生道上

萬劫的道上　　　　夜遊天津公園

自白　　　　　　　北行

客裏逢秋　　　　　我願

罪惡的花園

流水依隨柳樹林邊，
伊帶着小小的聲音，
從浮飄的淺花身上
歌詠着笛兒：
歌悲哀底人生，
詠已死底靈魂，
悽惋噴噴——打我的花徑鑽過。
雖然不願聽她。
但不能不聽她，灌漑我底培養底
　　花園。

春天是她哭得最傷心的時候，
她傾吐出鹹苦辛酸底言詞，盡情
　　暴露，
她的淚乾了，顯出紅血圈兒無數，
由這裏我見了我罪惡的痕跡，原
　　來是我所經的舊路！

2　元　　　　行

她愛我，她能爭無疵的愛我；
她為了我，已將流到大海的水，
　轉回頭來縈繞我的花園。
春天是最歡樂的日子，可說是沒
　哀的餘地；
她為了我，已將最歡樂的日子，
　猛力犧牲，所以她目淚津津，
　悲不自禁。

我負了如山底罪過，有死無生底
　徒刑，
上帝視我為仇敵，聖徒視我為魔
　精；
無法能回贖，無力能減輕——
可是啊：她私下與我要好，那顧
　人們底是非，
她暗地裏流了許多眼淚灌溉了我

的花園、
若到花艷時，她又揩乾面上淚痕

安撫我悲哀的人生，
慰藉我過去的靈魂。

好呀！依隨柳樹根邊的流水
好好底歌詠你的笛兒！
讓我聽聽祈禱改過的聲音
培養我將來的花園。

　　　　　　一九二二，七，九。

萬刼的道上

荒山礦窟，棘藤破肉，背着尖鋤
　的少年，在垂暮無着的荒山裏
　拚命喲！

咀咒的人們，拿着資本掠劫的武
　器，督率這少年，這背着尖鋤
　的少年。

看啊，這是何等可怕喲！

荒山在前，威權在後；咀咒的是
　非又從天上來了：「責刑你們
　做工太慢，該扣工資多少。」

這少年人揮汗而且趑趄着，只得
　由他們吩咐罷了。

咀咒是理性的母親，拿着餘剩的
　資本，要他的兒子作孝順的苦
　工，她說：「只有我你應當尊
　敬；你都是我養活的。」

少年人無奈了，只得『啜菽飲水
　，』聊表孝思罷了！到底心裏
　抑鬱不甘的。

荒山礦窟，棘藤剖肉，背着尖鋤

的少年，在垂暮無着的荒山裏
拚命喲！

一九二二，八，四。

自　　白

飛出樊籠的小鳥，
他是應該怎樣歌跳和喜歡喲！
不，因為他是個深思而有情感的
　　呢。
在他的鄉村的家園裏：
　　還有些花；
　　還有若蜜的愛；
　　還有許多舊遊的伴侶。
他既是深思而有情感的，
為什麼不勤懇的訪他的快樂呢？
不，為其他是深思而有情感的，
他就不願意回想他的鄉村的家園。

C 在 行

他有一種罪過，有一種自己贖不
　回來的罪過。

當他逃逸的時候，他足下帶着繩
　索；

所以他總不願意回去，怕他鄉村
　的家園裏鳥們恥笑他呵。

那麼他又將怎麼樣呢？

於是他哭了，大聲的痛哭了！

他痛哭在海之濱，山之谷，——

想在飄泊的路上尋找他的安慰和
　快樂。

他號泣的聲音顫動了谷中的壑，
　海中的波，

悲慘誠篤直狮上天上去了；

表同情的孤雁應着他的聲音回答
　他了；

將來一定是奮翅高飛回到他的鄉
　村的家園裏。

一九二二，八，十六夜。

客裏逢秋

（一）

西風私下和遊子耳語，

說道：『秋已經從家鄉動身了，

　隱隱的尚在路上首途呢。』

（二）

北行遊子，踽踽凉凉獨步在

　母親思念的心中。

（三）

想上林杪的西風

更帶着擣衣的碪聲，——

她的紅顏還剩得有好多喇？

（四）

家鄉裏的秋，告訴她了，

遠行的良人

8　　北　　行

漸漸涼了：

着手為他紉衣罷！——

待到冬來，縫好寄去呢。

（五）

驚秋只一葉，

萬木同伊悲！

高咏的蟬兒，

你眞不識時務嗎！

（六）

杮楓紅着臉兒，

羞與秋聲結婚。——

但是她的母親，已將她生庚的運
　　命，

交給媒婆西風了！

黃金色的戒指，

已帶在杮楓的手上；

戀愛的秋聲快要與她結婚了。

（七）

一味底涼風

贏了我一個冷嚏，

在這裏辨別出是秋了！

　　　一九二二，八，十三夜。

灰色的人生道上

誰曉得這個秘密？

當上帝愉快時，打開了生命的門

　　唦！

上帝眞愛我麼？

是，我初次徘徊在生命的門前；

他——上帝和顏悅色的對我說：

『你是我的使者，每件事你都要

　　依隨我。』

因為我是個孩子，他并不疑惑我

　　。

10　　　　北　　　　行

我惟眞惟美的爛縵，攜着我的同
　　伴：
　　　　花——姊姊，
　　　　光——弟弟，
　　　　愛——妹妹，
於是相依爲命的來到人間了。
上帝眞愛我麼？
是，我初次寄寓在塵園旅館裏；
他——上帝在我夢中，至誠至懇
　　的對我說：『珍重罷！我的使
　　者，人生灰色的路上，是很崎
　　嶇的呀！』
因爲我已成人，他有些疑惑我。
我在我行程裏：
　　　　曾嗅覺過花，
　　　　看見過光，
　　　　還親吻過愛；
但因爲我渡獨木橋，一槪將他們

失掉了。

我隱忍的痛哭，靠海濱的處所。

上帝怨人間慮我，也恨我不珍重；

他——上帝怒氣煩悶將生命的門

　　抨撞的關了。

唉！我在灰色的人生的道路上，

　　枉費足跡！

但終不明白這個秘密喲！

　　　　　　　一九二二，九，五。

夜遊天津公園
——偕件景深兄——

逃罷！逃虛空罷！

塵園我們都醉了！

逃虛室的心的夜之園罷！

因爲白晝我們都倦了，

12　　北　　行

秋中的疏林，快要蕭森了：
怪可憐的柳樹，已嬌不稱容了；
蟋蟀因我們，暫止他的悲吟，
我們的步子，太不給他的自由了
　　！

且把電燈廠的機械，當成河裏的
　　波濤吼怒；
且把高坡坡，當成大山離堆（註）
我們徘徊山中，雖不能看見什麼
　　；
但我們默着聽，聽他的聲音，也
　　好像是大江東去了！
這是第一次夜之園給我們印象啊
　　！

逃罷！逃虛空罷！
塵園我們都醉了！

逃虛空的心在夜之園罷！

因爲白晝我們都倦了。

　　離堆　是中國名山，在我們
　　四川西邊，我家在其側，常
　　登覽其上，看揚子東流；故
有斯感。

　　　　一九二二，九，十夜。

北　　行
——思母而作——
（一）

變化的白雲，

北行遊子；把相想思寄給他了。

母親！你收到兒的相思麼？

白雲是最不誠實的呀！

（二）

離兒的母親，

默着數天上的繁星：

那一個——是兒今夜看見的嘛？

（三）

我知道母親的心，

想變作一隻鳥，

乘月亮的光明：

偷偷的離了父親，

飛到黃河北岸來看她的遊子！

（四）

・家鄉的快樂，

在人生箭也似的光陰裏。

爲什麼我把他丟了？

我眞是至傻的孩子啊！

（五）

當我兩眼哭得淚交流，

母親神秘的來在我面前。

我的淚收了，

母親也就走了；

唉！我的相思太不堅固，太不延
　長了。

　　　（六）

無聊的遊子，

他思沉在最深的時候，

只把他衣襟的鈕扣，數了又數。

　　　（七）

哭不出來的音聲，

較之兒時猶傷心啊！

可憎的人們，竟不發點惻隱的心
　　。

訴諸母親，

為什麼同情的淚，不言而滴穿了
　信呀！

　　　（八）

憂愁是遊子的伴侶：

在被窩裏看見他，

獨行時也看見他；

這是上帝的惠愛麼？

呀！狠心的上帝。

（九）

零亂的黃絲，在我的心頭。

不理還好；理他更亂了。

（十）

縱橫的淚，

行駛母親相思的船；

拋錨在遊子的腦海裏。

（十一）

哭罷！放聲的哭罷！

哭軟了惡人的心，

或許能夠得着一種安慰。

（十二）

巢南枝的越鳥，

幾時來到這裏的！

家鄉的人還平安麼？

（十三）

凛冽的北風，

帶着關外的黃沙，

吹得人好心冷呀！

遊子的棉衣，

母親在縫紉麼？

（十四）

相親的海鷗，

來伴我罷：

因爲我們的行踪，是不能一定的

　　　。

（十五）

母親的白髮添了，

遊子的年歲長了；

在這個中間，

失掉家庭的幸福了。

（十六）

遊子的寸心，

負担了千里以外的人；

他的心怎樣不碎呀？

（十七）

我想念在最悲哀的時候：

母親的白髮，

父親的牙齒；

又擁擠在我的心頭；

憑添了無限的恐怖！

（十八）

強笑，

是弱者悲哀的暗示。

（十九）

可憐的明月，

照見五處的鄉心

更何處去找長枕大波，

蓋枕我的弟兄呢？

一九二二，九，十七。

北　行
——寄家信以後——

（二十）

累次不敢和我的母親寫信，

仔細說我內心的情形。

因為恐怕彈出同調的哀怨底聲音

，

又重流母親為我的至情之淚。

（二十一）

我曾欺罔我的父母，

背着他們當時造了許多

悅耳的謊言。

能使他們去接到我的信以後，

得着暫時的愉快。

（二十二）

這不是一件冤枉事麼？

當兇蠻的人辱罵我的時候，

為什麼連我母親也遷上？

（二十三）

我是個失敗的懦夫，

憑你勝利者怎樣譏誚。

但我同時感到人間的不幸，

不禁爲上帝之創造而悲哀了！

（二十四）

若果仇人是我的哥哥，

他能可叫母親把我殺了麼？

我當然怕仇人；

但我又何嘗不愛我的哥哥呢？

　　　　　一九二二，十一，十三。

北　行

（二十五）

或者我是被白雲欺騙了，

不然何以從未夢及我的母親一次

　　呢？

現在呵！回信又停滯在戰中了！

（二十六）

分散的朋友！給你們的信，總沒
　　有回覆，

一次一次的在我的計程裏。

要是白雲稍稍有點心，也不至北
　　地南天的勞望了！

（二十七）

玉壘最有情，當我徘徊在你脚下
　　，白雲也在你頭上了。（註一）

我總說這是我生的愉快。

白雲的變幻，使我難以揣測；

玉壘的蜿蜒，還低低高高的伏在
　　我的腦裏。

（二十八）

危樓倚閣的廟宇，隱約在樹杪瀑
　　流的中間。

夜闌人靜，又湧入縝密的回憶裏

。

（二十九）

鬥雞台上的殘碑，我如今都忘却
　　是幾根了；（註二）

人生飄零的可怕，過幾年我家間
　　的情況，又無形的消滅了，料
　　定在我二次的回憶當中。

（三十）

索橋上的掙扎，就是我的生命罷
　　！（註三）

翻浪濺花的岷江，在我俯視的眼
　　簾下。（註四）

長相思！行路難！怕是兒時嬉游
　　的預兆罷！

　　（註一）玉壘，在四川灌縣西
　　北。

　　（註二）鬥雞台在灌縣城內，
　　台上有石柱幾根，相傳說劉

備時築，縣誌或可攷；但手
中無此帖，不能說明。

（註三）索橋是用竹繩合木板
架的，行走時搖盪不已。

(註四)岷江，四川之一大江
也。

一九二三，三，六夜。

我　　願

我願把我的心，

背地裏掘出來：

用朝露洗滌，

用秋月照曜；

無條件的交在我的情人的手裏。

我願把我的淚，

平素所流的，

湊在一齊來：

灌漑我心上的花，

吐出鮮艷的芬芳，

開來給我的情人看；

或者能得伊一個微笑啊！

　　　　　一九二二，九，二十五。

目　次

安慰　　　　　伴侶

小鳥　　　　　無名的悲哀

安　　慰

（一）

似柳絮般飛舞，

做浮萍般漂流；

到處都是知音，

到處都是好友；

這亦足慰我的心了。

咳！其實呢！

飛舞自飛舞，

漂流自漂流。

誰是我的知音？

誰是我的好友？

誰能安慰我破碎的心琴？

也只有長嘯和狂歌啊！

（二）

我不願受溫柔的安慰，

我不願受過度的狂愛！

只消真義常在，

2　　　安　　　　　慰

我的心也就安慰了。

（三）

人們只看見我的面笑！

誰菲聽見我的心哭！

我的心日夜哭泣着，

安慰他的只有虛假和欺僞！

虛假麼？欺僞呢？

這是人生的要素喲！

不然，怎麼走遍天下尋不着些微
　　的眞？

（四）

我的心隱隱作痛，

我的口低聲吟咏，

我的眼渺渺茫茫，

我的手和足，顫顫欲僵。

疲乏而困倦的我，竟尋不着些微
　　安慰的妙方！

安　　慰　3

小　鳥

凄靜的夜裏，

小鳥酣睡在密葉的樹枝上，

再不聞一些聲響。

可恨的貓兒

驚動了伊的翅膀。

伊小小的心中，

起了無限的恐惶！

伴　侶

太陽含着熱烈的清思，

要尋伊親愛的伴侶。

冰霜般的月兒，

總是藏藏躲躲的不肯見伊。

太陽只好吟道：

「尋不着親愛的伴侶，

倒也省了許多的相思。』
唉，這是伊最後的慰藉了！

無名的悲哀

心絃日夜的挑撥，
心琴日夜的震動；
使我憶起從前的一切
見過的風景，
經過的情形；
唉！一花一草，都含着無限濃密
　　的感情。
一切的一切，永遠在我心中撥動
　　　。
是想念從前的經過麼？
是憂慮現在的艱難麼？
是希望將來前途的遠大麼？
不，決不！

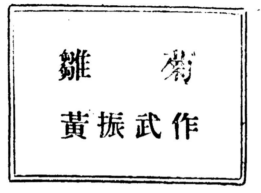

目　次

郵差　　　　　跛足小孩

從前　　　　　安眠歌

僅有的安慰　　夢

在冰上　　　　睡

雛　　　菊　　　1

郵　　差

盼望家信的他

遠遠的看見郵差來了。

他於是想到信裏所說的，

不覺眉飛色舞了。

郵差慢慢的走到他門口，

但是不進去，

却轉彎向別路去了。

他就忿怒的說：

『萬惡的使者，

就是郵差吧！』

從　　前

從前喚「小武」的聲音，

現在何以聽不見了呢？

僅有的安慰

安慰孤獨者的
只有滴滴的鐘聲罷！

在　冰　上

在冰上撐排子的朋友，
當心些罷！
冰上雖然平坦，
淺冰和有水的地方卻很多咧！

跛足小孩

一個跛足的小孩，
他的父親死了，
他呆呆的站着。
看見二叔哀痛極了而哭，
他也隨着哭了。

雛　　菊　　3

安眠歌

我看見保姆爲小孩
叫安眠的歌，
於是我想起我這孤獨者，
又有誰來爲我
唱安眠的歌呢？

夢

人生最快樂的時候
就是在夢境之中喲！

睡

不要談話了，
休息，睡覺吧！

4　　　　　雛　　　　　菊

夢神等着你，
同去遊山哩！

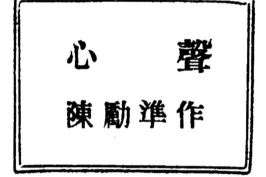

目　　次

早晨的月　　雪

步月有感　　或者

夢

早 晨 的 月

月亮啊！

你是怕見你太陽哥哥嗎？

何以漸漸的退縮了呢？

十四，十，二二。

步 月 有 感

（一）

天上的薄雲，

地下的樹影；

薄雲不能遮月兒的光，

樹影就能遮我的影嗎？

（二）

枝頭的睡鳥，

被我的咳嗽驚醒了！

鳥呀！

對不住你！

不過這樣的天氣，

你還不起來看月兒嗎？

（三）

街上的小孩，

都直着眼看我；

你們看我痴嗎？

或者你們才眞痴呢！

（四）

月兒啊！

你不要憂愁。

下月的今天，

你別失約就好了！

四，十一，二二，夜。

夢

唉！親愛的母親，

爲什麼惟有在夢中見我呢？

十一，九，夜三時。

雪

雪啊！六瓣的結晶體啊！
降下時是如何的潔白？
可愛呀！
你那比**女**神底白衣還白的身體呀
　　！
黑夜裏降下你，
比**電燈**底光還亮；
白日裏降下你，
也可以放光明於陰霾滿佈的天空
　　○

但是，你不要忘了天晴啊！
白色的衣服化作黑色的污泥；
堅固的身體化作柔軟漿糊；

唉！雪啊！

你那純潔而堅強的心兒也惟有隨
　牠們軟化吧？

　　　　　二七，十二，二二。

或　　　者

或者這微弱的心之波，

能夠灌漑這枯乾的心田吧！

　　　　十三，二，二三，晚。

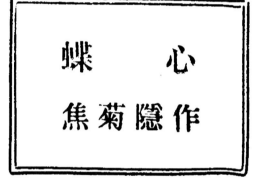

蝶　　　心

焦菊隱作

目　次

蝶心　　　　　霧中的邂逅

晚霞　　　　　沈寂

微風　　　　　小詩

泥濘的街上　　夢中的詩

秋風　　　　　邂逅

晚的橋上　　　迎春花

蝴蝶之心　　　頭痛

歌鳥　　　　　蝴蝶

蝶　心

蝴蝶一無所思的遨遊着，
訪遍了紅花，
拜遍了綠葉，
慰藉着荏弱的細草，
嬉弄着活躍的小溪，
辜負了偉大的自然，
也不知世間更有怎樣偉大的自然
　，
自束自西，
只是慢慢的遨遊着。

　　　　　　一九二三，三，二。

晚　霞

霞姑娘披着紅色燦爛的衫子，
隨着輕柔者甜蜜的風兒歌舞；
太陽哥哥還在涎着臉兒偸看呢。

一九二三，二，四。

微　風

慈姑的箭不住的搖頭喝采；

紅的夾竹桃舞的更歡了；

當着微風來參觀的時候。

一九二二，八，二一。

泥濘的街上

我一步－滑的

傍着街邊

慢踱在泥濘的道上。

剛剛邁到稍不的方塊，

却又溜了下來；

幸而我把持得住，

不然，早已跌倒了！

繁　　　心　　　**3**

一九二二，一一·一一。

秋　　風

不要只管悲傷罷，

多情的詩人哪，

假着悠悠地清風

正好朗誦你們的深沈的詩句呢。

一九二二，二，一○。

晚　的　橋　上

從橋上望着遠處的河灣，——

月兒低得好似要攢到水裏；

深黑，淡黃，和綠色的波紋

跳躍着如活潑潑的小孩在遊嬉。

可惜我不是美術家，

可惜我不是寫眞師，

不能將這自然的晚間的美景

盡着力量收寫下來。

但這時我更沒有什麼方法可以描

　　寫了。

　　　　　　　　一九二二，二，一〇。

蝴　蝶　之　心

飛翔喲，

飛翔在在雲邊喲，

帶些綿綿的情緒

來纏繞我的愛人喲！

飛翔在海洋之心喲，

藍色水裏的白影

一般的飄遊自在喲！

飛翔在花園裏喲，

息落在碧桃的肩上，

蝶　　　心　　　5

偷偷地看伊，

看伊那美麗，溫柔，而莊嚴的面
　　孔啊！

園裏的花香，

園裏的草香，

我只覺是伊心之香的飛散，

佈滿了園中啊！

柳也光明，

葉也光明，

我只覺是伊的光明，

照遍園中啊！

飛翔啊！

飛翔啊！

繞着這光明而清香的伊飛翔啊！

因為伊的心是潔素的，

或者能微睞這白衣的。

因為伊的心是活潑的，

或者同情這飄遊自在的。

6	蝶	心

和我飛翔喲，

飛翔到雲邊喲！

和我跳舞喲，

跳舞在海洋之心喲！

一九二二，十，十四。

歌　鳥

這快樂的小鳥

不時的毫不經意的

引弄她的滯澀的歌喉了！

一九二三，三，一。

霧　中　的　邂　逅

怎樣朦朧的晨霧啊。

無意中遇着一位不認識的她；

但——

或者她我是相識，
因着濃霧的隔障
遂失掉了辨別力的。
心中迴環了幾遭，
想起了舊時的情景
恍恍現在眼前；
但現在却不可得了！
這失掉了自由的啊！
怎樣朦朧的晨霧啊！
更怎樣朦朧的終年的霧啊！

　　　　　一九二三，一，二二。

沈　　　寂

在沈寂的院裏，
那樹穩然地立着，
太陽呆呆地照着。
這一些聲響也未有的小院裏的沈

蝶

寂呵！

小 詩 一

很急地盼着回音，

但當接到她的信的時候，

我却又禁不得把弄一番再看了。

小 詩 二

是痴笑呢，

是苦笑呢，

月兒一藏一現在雲邊？

一九二二，七，二六。

小 詩 三

庭前的相思子，

蝶 心 ？

你眞個解得相思麼？

一九二二，八，二。

夢 中 的 詩

夢中做了一首詩，
夢中做了一首甜蜜纏綿的詩，
可惜醒來都已忘了，
只有想像着咀嚼彼的滋味罷；
呵，這一首甜蜜纏綿的詩呵！

一九二三，三，一一。

邂 逅

桃花一般的白膩，
蘋菓一般的緋紅，
這突然間遇見的小臉兒，
鋪滿了似月亮的溫柔甜蜜的笑，

浮雲也似的飄過我的眼簾，

那一雙天眞燦爛的星球。

我只是怔着想着，——

這般聰明的鵝卵樣的面龐，

似曾見過而熟識，

但這次是更莊嚴的綺麗了。

　　　　　　一九二三，三，一一。

迎　春　花

迎春花帶來了春的消息，

便傴傴地開在綠生生的枝上了，

這滿室馥郁的芳香呵。

　　　　　　一九二三，三，一一。

頭　　痛

她永遠不肯在兒子面前說頭痛，

因為她曾如此擲她的愛子於恐怖
　　的網中；
但她現在燒紅的臉兒，
已經顯出十分不安的狀態了，
還是永遠不忍說頭痛，
在愛子的前邊。

　　　　　　一九二二，一一，二八。

蝴　　　蝶

這若無所思的蝴蝶呵，
飛翔罷，
高高地飛翔罷！
明媚的春光幾時能有呢？

綠波社刊物之一

詩　壇

每 期 郵 票 二 分

通信處　天津新民意報社轉

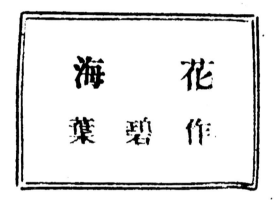

目　次

夜雁　　　　夜中販者

春風　　　　他倆

夏天的樹葉　融化

隱痛

夜　雁

月下的孤雁，

遠遠的從罩飛，

怎的月兒偏照着伊們的閃閃翼，

獨孤的雁兒空自翔迴，

無力的躱在綠油油的枝上，

冷寒的眼簾下垂，

倚偎着片片的葉兒的嬌麗，

祗覺得冰冰淚墜，

確是蔭蔭裏墮下露珠來！

那月兒依然的不多臨幾回！

中秋月夜作，二二。

春　風

溫溫的春風撲在人面，

乾乾的花兒含笑綠蔭裏，

細絲縷般的柳兒搖着頭了！

十六，四，二二。

夏 的 天 樹 葉

嬌嬌的碧葉，

寄生在叢樹間，

狂風一陣吹到，

牠們覺得恐怕說：

「是秋風兒來了麼？」

十八，五，二二。

隱　　痛

心裏的隱痛，

像燒完的草

鋪在平地，

一點風兒，灰吹沒了！

留着一條焦痕，

任怎樣的塗抹，依舊深深的印着
。

二十二，七，二十二。

夜中販者

遠遠聽得無力的叫賣聲，

風兒吹着，斷斷續續地成了和諧的
　韻調。

泳冷清輝的月隨着他，

走到我面前，

昏黃的燈，

柳條的籃，

灰白的臉，

都被我瞧見了！

他不住的看我，

露着難堪的神情，

我過去了！

他從口中吁出氣來，

映着月如烟，

仍回頭看我；

但我轉灣後耳裏聽得的

依然是他的顫顫的叫賣聲！

　　　　　　　十四，十二，二二。

他　　　倆

雙雙的躑躅在坦坦道上，

我隨他倆到不可見的地方，

頭兒搖搖，手兒放入衣囊，

孤孤的走——走——

身後車的鈴兒噹噹，

痴痴的令我回想。

　　　　　　　十七，十二，二十二。

海　　　　花　　　　5

融　化

雪後的陽光，

彷彿無力，

地下的雪已融化成水了！

墻陰的積雪，

方自慶幸依然故我呢！

　　　　　二十，十二，二十二。

樂　　園

趙景深編譯的小詩集

每冊售洋四分

新教育書社印行

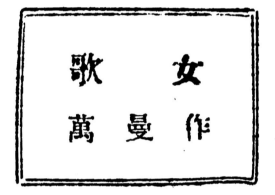

目　　次

歌女	雨
女郎	蘆
短笛	朝霞
蝴蝶的悲歌	給弱者
短句	雞鳴時的幻象
影兒	除夜

歌　　　女

歌女的珠喉裂了！
胡琴的聲音瘖了！
但是依然大街小巷的
顫着他們那纏綿不忍聞的歌！

女　　　郎

峭直的一堵磚牆，
燦燦的塗着陽光。
一個襤褸的女郎，
手藏在襖袖裏靜靜的曬太陽；
上眼皮舒伸着，
美濃的眼毛，
作成兩道小小的弧弓，
深深而幽緻的兩道小弧弓呵！

短　笛

鄰舍超度死人的亡魂。
在僧官們嘈雜的鐃鈸聲中，
短笛滴瀝滴瀝的叫：
賽翻騰的海水映着月光，
倏隱倏現的銀蛇般的顫着。

蝴蝶的悲歌

在血般紅的花裏，
翠般綠的葉中，
吾們映着金燦燦的陽光舞着翔着
　　；
隨便的彷徨，
任意的遨遊，
溫溫的吻着花兒的香唇，
緩緩的拍着葉兒的軃肩，
一直頂到青山戴了紅冠

歌　女　3

月亮舉起她那銀角，
吾們纔藏在花兒的婆娑影裏，
吸着一陣陣的玫瑰香風，
夢着吾們那紫霧般的樂境。

但是吾們的伴侶只是一個個的減
　　少，
吾們的心裏不禁生了大大的恐慌
　　，
有時吾們藏在花裏，
從極微細極微細的葉罅裏向外觀
　　察：
呵！吾們明白了！
原來吾們那陰狠的摧殘者，
却是人們稱爲天眞縵爛的兒童，
仰着他們那滿裝血液的紅頰，
死不放的驅捉。
呵！吾們明白了！

4　　　歌　　　女

原來吾們那陰狼的摧殘者，

却是人們稱為秉性溫柔的女郎，

仰着她們那滿裝魔艷的身軀，

死不放的驅捉。

這無理的摧殘，

吾們的悲哀啊！

但是這些狠毒的摧殘者，

却是人類的結晶，

上帝的嬌子，

耶穌說：

『因為在天國的，正是這樣的人

　　○』

唉！耶穌想過他們了！

但是却沒有聽見吾們的呼籲。

耶穌說愛 —— 愛一切衆生，

但是却抛棄了吾們。

唉！可憐的吾們啊！

這呼籲無門的吾們啊！

歌　　女　　5

只好深深的將這悲哀，

埋在吾們的心之深處，

無抵抗的任着他們摧殘。

鎮日價假裝着快樂，

聽着鶯歌，

趁着燕語，

做吾們那吮蜜的生活，

享着吾們那且夕可殞的幸福。

有時看見兒童們挾着書籍

吾們不禁哭了！

因爲那湘卷呀！吾們的窒息台。

有時看見女郎們曳着髮辮，

吾們不禁哭了！

因爲那雲鬢呀！吾們的暴尸場。

唉！吾們的淚流乾了！

哭聲變成嚶嚶的歌聲！

這樣偷偷的活着，

————醉生夢死般的活着。

唉！人們呀！
屏諸上帝的愛之圈以外的，
他們的淚要怎樣的流呀！

短　　句

夏天黃昏唯一的點綴，
就是那滿天翩翩的蝙蝠呵！

影　　兒

粉墻映着清纖的藤蘿的影兒，
吾不禁嘆息，
藤蘿倘若是沒有影兒，
那減却多少美麗呢！

雨

雨脚跳的更急了，
密的雨絲裏充滿了銀色的濃霧。

蘆

蘆呀！
幾月不見，
你就這樣的蒼老了！
　搖着斑白的頭，
　蕩着瘦黃的軀，
似乎禁不住那秋風的狂驟
但是老者啊！
請原諒吧！
吾實找不出這許多許多的柱杖給
　你們呀！

朝　霞

朝霞伸着他那染了血的手指，
按住了蔚藍的天的一角。

給　弱　者

吾在報上看見一個短見者，
吾就狠狠咒咀他：
懦弱的人兒呵！
你懦弱到什麼地步？
你怎樣渺視你自巳。

引起全世界的火災，
　　使濃烟迷漫了地球。
你既犧牲生命，有什麼不能？

狂般拋擲炸彈，

使全人類玉石不分的滅淨。
你既犧牲生命，有什麼不能？

在日光裏，
　　用手槍向着人們亂擊。
在月光裏，
　　用寶刀向着人們狂舞。
　　　　　　使血流成溪，
　　　　　　　骨疊成山。
你既犧牲生命，有什麼不能？

終不然，
　　你執杖撞碎了全街的玻窗，
　　聽一聽那清脆的碎玉聲，
　　當做你的幾疊雍露。
也聊足以自慰生前呀！

就讓你這些些也不能，

你攬着白楊，

　在閃爍的星光下，

　　　放聲號哭而死！

也勝過你這樣的死呀！

就讓你這些些仍不能，

　你旁着青山，

　在奔騰的瀑布下，

　　　放聲怒吼而死！

也勝過你這樣的死呀！

　　唉！

　懦弱者呵！

　你爲什麼不發瘋般的

　做個大破壞？

竟這樣悄悄的死去呢？

　　唉！

懦弱者呵！
你爲什麼不發瘋般的
做個大破壞？
竟這樣悄悄的死去呢？

但是你們竟這樣悄悄的死去了！

雞鳴時的幻象

曙光薄暗的頭抖着，
全宇宙似乎被畫家
輕輕的染了一層淡鼠色。
雄鷄的鳴聲，
從遠方戰戰的蕩來；
在這單調的靜穆晨間，
似乎看見那聲圈
一圈圈的擴張他的輪廓。
象牙般的小船似的月兒，

12　　　歌　　　女

在平靜的碧海般的天裏，
感到了這聲圈的震蕩，
那兩個白的小角兒，
也似乎隨着一上一下的輕輕的動
　　搖起來。
那疎疎落落的明明滅滅的星星兒
　　，
益發的疎疎落落明明滅滅的了。
鷄聲更多了，
聲圈兒更是索亂了！
互相糾纏着，
互相侵犯着，
各自一圈圈的擴張他們那不規則
　　的缺邊緣的輪廓。
於是這靜穆的單調晨間，
紛擾擾的漸漸兒的喧雜了，
那靜默慣了的星兒，
先自合上眼了。

隨後那船兒似的新月，
也輕輕的撐向西方寂謐之境去了
　　。

但是那塗着紅化臉的太陽，
却哇呀呀的加入這紛擾的世界，
主宰了這不靜的人間。
完全破壞了那美靜的木檔香味的
　　寂夜！

除　　　　夜

夜裏的風狂吼着。
吾夢裏的輕魂：
像一點兒黃的螢火，
又像一星兒白的瓢花，
飄飄的在那無垠無涯的黑裏馮蕩
　　。

似乎是徘徊躑躅的留連這舊年啊

14　　歌　　　　女

又似乎是彳亍蹣跚的踱進那新年
。

延眝呀依依，
依依兮容忍；
只是隨着狂風，
在無垠無涯的黑裏，
像一點兒黃的螢火，
又像一點兒白的瓢花，
遊蕩着蟬聯着
在這淸淸涼涼的煞尾的寒夜裏
無目的地淒淒慘慘的馮蕩呀！

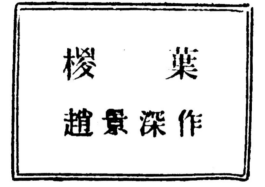

══目　　次══

小的世界　　　　盲丐

一片紅葉　　　　海浪敎給我的

秋意　　　　　　懶葉

日神曲　　　　　小署作家

小小的一個要求　晨之彩色

相思　　　　　　幻象

企望

小 的 世 界

一

野地上的小菊花
是這般的小。
但「小」給我心靈的慰安，
却是不可限的微妙。

二

是童話給他們的吸引，
他們倆愛看得不忍釋手。
兩個小小的白面龐湊在一處，
眼不轉睛的只是看着，
小手兒一葉一葉的翻着，
柔婉的細聲——人類最純潔之聲
絮絮的問着，
我很高興的說給他們聽，
就是棄掉一切我所有也願意。

三

星星一閃一閃的發光。

『我將飛翔到天上，
和你們攜手跳舞，
只要我有翼兒。』

四

是這樣的一個雨夜，
燈光下幾個小弟弟寫着字，
靜悄悄的一聲兒不響。

五

兒時嬉戲的迴想之線，
從表弟妹們的捉迷藏牽引起來了！

六

看見沈家的小妹，
舉起肥白的小手，
向着我作無知而天眞的笑，
我就想起了五表妹。

七

『我的假指環，
何嘗不可以炫耀人的眼呢？

怎麼媽媽見着只是笑呵！』

八

院中的雨水盈寸，

兩個表弟赤足打着水，

拍達拍達的響。

院子若是海岸喲！

雨水若是海水喲！

泥濘若是海沙喲！

水珠若是海浪喲！

我想他們的心

早到那與藍天相接

茫茫無際的海灘去了！

一　片　紅　葉

——答謝亞衡的寄贈——

一片紅葉，

從好友的信裏到我的手裏，

4　　　　桜　　　　葉

我把玩着，反覆看着，
覺得詩的興趣一絲絲，
從葉裏抽出來了。

--片紅葉，
是不是胡適在山溪路上見着的，
是不是從荷馬墓上摘來的，
是不是愛羅先珂的『枯葉雜記』裏
　　的？

一片紅葉，
倘若這是情人寄給我的呵！
這甜蜜—— 這甜蜜，
綠的芬芳，紅的動人，
無限的愛蘊藏在這裏了丨

一片紅葉，
倘若這是小孩寄給我的呵！

這愉快——這愉快，
美的歡笑，純扚天眞，
無限的喜蘊藏在這裏了！

我雖明知這是好友
從三貝子花園摘下來
很鄭重的寄給我；
但這葉的魔力，
使我心波起了聯想，
便覺得伊是許多美和自然的化身
　　，
便覺得寄葉的使者也有許多化身
　　了！

秋　　意

月亮將回家的時候，
我正在迷離惝恍的睡着，

6　　　　　櫻　　　　葉

似乎襲來一陣寒氣
將我從甜夢中喚醒。
是秋姊姊來了麼？
把被兒搭上些兒罷！

現在夢神又將香花灑我了，
我不由自主的又想睡了。
秋姊姊，請你不要惱我。

日　神　曲
——中國的民間傳說——

宇宙茫茫，
大地茫茫，
洪荒，洪荒！
在極遠極遠的時期以前，
月亮哥哥照在白天，
太陽妹妹照在晚間。

人們都望着太陽，
把我們的妹妹看羞了。
伊裹着素白的縞衣，
乘着如錦的白雲，
對伊哥哥說：
『哥哥，好哥哥！
人們都看我。
待怎麼？待怎麼？』
月亮深深的沈思，
也想不出來法子，
便御着輕風，
飄飄然去問母親女媧氏。

月亮說：
『母親，母親！
人們都看我妹子。
妹妹害羞，

請你想個法子。』
女媧氏說：
『你們兄妹何妨換一下子！』
太陽歡喜極了，
歌唱，歌唱，
舞蹈，舞蹈，
搖擺着如柳的纖腰，
牽着月亮哥哥的手，
深入雲中的渺渺。

於是
月亮哥哥照在晚間，
太陽妹妹照在白天。

但人們仍是看着伊，
又把我們的妹妹看羞了。
伊蹙着娥眉，
曳着銀色的忱，

又來找伊的哥哥：
『好哥哥·好哥哥！
人們仍看我。
待怎麼？待怎麼？』
月亮深深的沈思，
仍想不出法子，
便飛過了天河，
到那琉璃碧玉的宮闕，
仍去看他們親愛的母親女媧氏。

月亮說：
『母親，母親！
人們仍看我妹子。
妹妹還是害羞，
請你再想個法子。』
女媧氏就從彩霞的羽衣裏，
取出一把亮晶晶的繡花針，
交給太陽仔細的收存：

『人們再看你，
你就放出針的光燄，
射人的眼睛。
人們也就不敢再看你了！』
太陽歡喜極了，
歌唱，歌唱，
舞蹈，舞蹈，
搖擺着如柳的纖腰，
牽着月亮哥哥的手，
深入雲中的渺渺。

現在太陽的金光四射了！
但是，太陽妹妹喲，
苦了那些愛你戀你的人們了！

小小的一個要求

夜鶯飛到我的窗前，

停息在玫瑰枝上，

輕輕的軟語，

講那最有趣的故事破我寂寞。

這故事就從現在起始展開錦雲之
　　幕了：

二

披粉紅裳的蝴蝶

翩翩的向東飛；

着水晶衣的蜻蜓

款款的向西去；

他們在花草叢中相值，

蝴蝶喚蜻蜓一聲密司脫，

蜻蜓喚蝴蝶一聲密司。

一個到碧波落日相映的明湖。

一個到黃花彩霞相襯的菜畦。

一朝他們又遇着了。

12　　　　　檬　　　　　葉

　蜻蜓要求着說：
『姊姊也曾看見棠棣麼？
搖曳着潔白如雪的花，
互相的偎傍着，
姊姊弟弟的呼喚，
是多麼的親熱呵！
好姊姊，你喚我一聲弟弟罷！』
空氣裏沈默了一會。

『那麼，姊姊也曾看見雛燕麼？
啾啾唧唧的談着甜蜜的話，
迴望着江天的雲樹，
姊姊弟弟的呼喚，
是多麼的親熱呵！
好姊姊，你喚我一聲弟弟罷！』
空氣裏依舊是沈默。

『那麼，姊姊總見過人間罷！

在那紅樓的一角裏，
燃着愉快之火的燈光下，
姊姊弟弟的呼喚，
是多麼的親熱呵！
好姊妹，你喚我一聲弟弟罷！」
空氣　　舊是沈默。………

三

故事還沒有終止，
幕兒便徐徐的，緩緩的垂下了，
夜鶯也振翼飛去了，
只剩我默默的思念着，
痴痴的惆悵着；
蝴蝶呵，
你允許蜻蜓小小的一個要求罷！

企　望

倘若我們並肩坐在海邊，

14　　　　檟　　　　葉

罩在蔚藍的慈愛的夜幕下，
望着遠遠的點點星帆，
癡凝着水中央的一線
閃耀不定，金色輝煌的霞光，
談着甜甜蜜蜜的情話；
使那海石邊片映的唇之
漸漸兒的撕併，
我將怎樣的欣喜呵！

伊那豐潤的容顏，
伊那烏黑的眼珠，
伊那飽儲了喜的春之笑，
伊那充滿了愛的晨之光，
在在都使我縈繞在腦子裏，
很深刻的反映着照片。
我這污濁的人兒，
想和伊同奏和諧的雅樂，
這是怎樣的荒謬而可笑呵！

我不敢這樣希冀着。
但伊若永遠做我親愛的姊姊，
將溫煖的，織綿雲的，綴明星的，
大衣圍護着我，把我這飢寒的
赤裸裸的心的孩子，
抱在伊的胸前，
受伊的撫慰，
默默的聽伊柔和而純潔的愛之顫
　動，
也就是我極奢的願望了！

盲　　丐

微微的笑容露在盲丐的臉上，
因爲當他唱着歌曲
在大街上慢步時，
他聽見孩子們雜沓的足聲，
喧嘩的喊聲

和愉快的笑聲

追隨在他後面了。

他心裏想着：

孩子們亮晶晶的眼睛，

一定是不輟時的向他望着；

他們活潑潑的心浪，

一定是因他而歡喜的跳着；

他們柔和的耳朵，

一定要很高興的聽；

他們綿羊一般的身體，

一定也要因他的歌聲比平時馴善

————

雖然他的眼看不見，

他的心靈已經看得比水晶還明亮

。

受咀咒的盲丐

在這時總算是得着慰安了！

他又將歌聲徐徐的唱起來，

棱　　　葉　　17

微微的笑容又露在他的臉上了！

相　　思

相思好似車輪，

喵喵的響着，

不住的轉着；

相思好似火焰，

熊熊的燒着，

不停的燃着；

情之輪轉了，

愛之火燃了，

忐忑不定的相思動了。

車輪就是輾壓在心上，

把心兒碎成一片片，

終是情願的呵！

火燄就是逞烈在心上，

把心兒炙得紅紅的，

終是愉快的啊！

哀呼婉轉的痛苦啊！

奕妙甜蜜的相思啊！

海浪教給我的

海浪衝着海裏的大石，

雪白的浪花兒不住的打。

他嗚嗚的喊着，

不停的向粗燥的石上撲着。

他雪白的銀牙含笑，

滿懷着熱烈的希望，

想將海石衝得玉圓瑩潤。

下去了，上來了；

嘩啦・嘩啦，

繼續着工作；

一次一次的愈退後，

一次一次的愈向前；

推得愈緊，衝得愈力；
失敗愈多，嘗試愈勤；
海浪教給我生命之途了。

櫻　　葉

在更深夜靜的時候，
天使拿着凉的櫻葉
一次次不厭煩的
輕輕的拂我煩激之心，
得了極滿意的慰安，
便沈沈的睡在甜美的夢的搖籃裏
，
將一切沈悶的陰影盡都抹去了！

小　著　作　家

爸爸媽媽都睡熟了，

20　　　　　榆　　　　　葉

我靜悄悄的爬起，
曳了鞋子，穿上棉衣。
仰望窗外閃耀的星星，
正在擠眉擠眼的向着我傻笑咧！
我撥了撥爐火，
捻燃了嫩綠的燈光，
寫我幻構的童話，
寫完放在我的小書包裏。
第二天早晨不讓爹媽知道，
就輕輕的投到郵筒裏。
我遙祝可愛的綠衣人，
千萬爲我寄到了呵！

時時我念着我的傑作，
果然在一天夜裏見着了。
那本新出的雜誌上
繪着紅紅綠綠的封面；
在花團錦簇的圖畫裏，

那名字好似印得格外清楚，
一跳一躍的跳到我眼簾裏。
我忙用手去握，
竟握着了跳舞的陽光。
那裏有什麼雜誌？
我依舊是睡在牀上。

我將這夢告訴我的朋友，
他們都笑我，
我幾乎要哭了。
我的阿白這時也欺侮我，
向我汪汪的叫；
我伸手要打牠，
終於含着淚低身來撫牠的毛。
還是我妹妹好，
她很親熱的安慰我：
『哥哥莫着急，總會登出來的。』

居然有了我的名字；
我不告訴你後來怎樣，
但過了些天，我的許多朋友
都稱我做小著作家。
我又可以爲我的夢而驕傲了！

晨 之 色 彩

明晰的光閃耀在我腦子裏，
卽使有一枚針遺失，
也能很容易的在我腦中找出來；
清新的氣充滿在我房間裏，
卽使有威權極大的黑衣，
籠罩我潔白的身體，
這時也不得不逃出房外：
晨之色彩，可讚美的！

街上推車的很興致的吆喝着，

慢慢的轆轆的推着車在馬路上滾
　　；

行路的仰起頭頸，
很輕鬆的走着和緩的步子；
雍雍容容的，歡歡喜喜的，
都在和諧的陽光裏移動；
晨之色彩，可讚美的！

幻　象

一　婦人

是聖馬利亞，
穿着深藍的長袍，
戴着紫色的斗蓬，
很沈靜的一步一步的走着，
穆穆的態度顯在伊的臉上，
圓的光輝罩在伊的頭上。

二　新月

24　　　　櫻　　　　棗

一顆剝了皮的香蕉

透出幽暗靜寂的藍林外。

伊那可愛的彎腰扐窈窕呵，

伊那牛乳一般白的身體呵！

三　爐火

黝黑扐鐵的火門開了，

爐裏是如何的壯觀喲！

——疑是舞台的幕啓，

裏面顯出蠻荒的景色來。

紅熾的火燄烈烈的向上冒，

煤塊被燃得烘烘呼喚。

——疑是奏演非洲野蠻的風俗，

黑的小人赤裸裸的，

彈着不可名的樂器，

狂一般的歡欣，在火堆裏跳舞。

綠波社叢書

春雲

著　　者　　綠波社社員

總發行所　　西宮昌文津天
　　　　　　新教育書社

（定價大洋四角）

一九三三年七月一日出版

（有著作權翻印必究）